PROFISSÕES

1. Quem consegue até parar um caminhão com uma única mão, mesmo que não seja tão forte?

2. Qual a tecla favorita do astronauta no smartphone?

3. Qual o lugar onde o pescador pode até escolher o peixe?

4. Que escritor escreve um livro em menos de um minuto?

5. Qual o alimento preferido dos escritores?

6. Por que o carteiro nunca se perde?

7. Por que o oculista sempre entra em uma discussão?

8. Qual a profissão que aborrece?

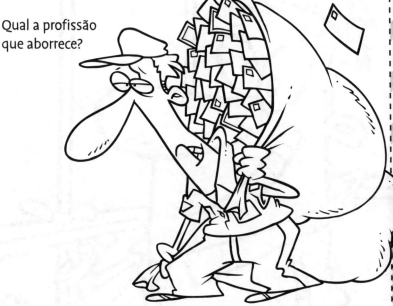

RESPOSTAS: 1. O guarda de trânsito. 2. O espaço. 3. Na peixaria. 4. Qualquer um, basta escrever a frase "um livro". 5. A sopa de letrinhas. 6. Porque sempre segue o endereço. 7. Porque gosta de defender seu ponto de vista. 8. A de amolador.

PROFISSÕES

9. Por que o policial não parou o taxista que vinha andando na contramão?

10. O que fazem os grandes costureiros quando não têm o que fazer?

11. Quem é que bate na porta sem estar chamando alguém?

12. Entre médicos, qual deveria ser considerado engenheiro?

13. Qual a profissão do Thor na televisão?

14. Como um escritor termina um caso de amor?

RESPOSTAS: 9. Porque o taxista estava a pé. 10. Inventam moda. 11. O marceneiro. 12. O que faz pontes de safena. 13. Ele é aThor. 14. Com um ponto-final.

PROFISSÕES

15. De qual animal os pintores gostam mais?

16. Qual o profissional que deixa as pessoas espantadas?

17. O que uma costureira mais deseja de um telefone?

18. Por que o bombeiro não gosta de andar?

19. Quem para trabalhar, nos põe para dormir?

20. Quem para poder respirar, carrega mochila?

21. Qual é o bar ideal para os meteorologistas?

22. Quem não gosta de conversar?

23. **Qual o maior mágico do mundo?**

RESPOSTAS: 15. Da onça-pintada. 16. O dentista, porque deixa todos de boca aberta. 17. Que ele dê linha. 18. Porque ele só corre (= socorre). 19. O cirurgião. 20. O mergulhador. 21. O BARômetro. 22. Os cirurgiões plásticos, pois vivem cortando o papo. 23. O que for o mais alto do mundo.

PROFISSÕES

24. Qual profissional faz saltos incríveis sem sequer ter estado em competições esportivas?

25. O que tem pé de vaca, rabo de porco e peito de frango?

26. Quem conhece mais o mundo da lua do que os astronautas?

27. O que acontece quando um bailarino é despedido?

28. Qual a semelhança entre o matemático e o cirurgião?

29. O que é uma letra A que vive saltando?

30. Quem é agitador das massas?

RESPOSTAS: 24. O sapateiro. 25. O açougueiro. 26. Os poetas. 27. Ele dança. 28. Os dois vivem de fazer operações. 29. Um "as-saltante". 30. O padeiro.

PROFISSÕES

31. Qual profissional sempre entra em qualquer tipo de festa, mesmo sem ter sido convidado?

32. Quem entende mais de sinais do que o guarda de trânsito?

33. Por que quem fala ao telefone se parece com trapezista?

34. Qual a maior tristeza do redator-chefe de um jornal?

35. Por que os alfaiates se parecem com os estudantes?

36. Que tipo de cara é um confeiteiro?

37. Por que o jardineiro é bom de matemática?

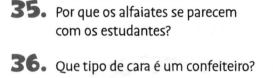

RESPOSTAS: 31. Um garçom contratado. 32. O dermatologista. 33. Porque também fica pendurado. 34. Ele saiu da escola há muito tempo, mas continua obrigado a fazer redação. 35. Porque ambos estão sempre fazendo provas. 36. Um caramelo. 37. Porque ele sempre consegue encontrar a raiz.

PROFISSÕES

38. Qual era o problema do decorador quando procurou um médico?

39. Que fariam dez milhões de padeiros com mil sacos de farinha num país fantasia?

40. Que piloto não sente medo quando o avião corre perigo?

41. Qual a contradição de um viajante em férias?

42. Quando é que um pescador é fisgado?

43. Por que o aluno não conhece as leis?

44. Quando é que um poeta sangra?

RESPOSTAS: 38. De coração. 39. Um sonho sem fim. 40. O piloto automático. 41. Ficar em casa. 42. Quando se casa. 43. Porque não estuda direito. 44. Quando é atingido na veia poética.

PROFISSÕES

45. O que é um físico que treina e é apaixonado por viagens?

46. Quando é que um bailarino se mostra mais conformado?

47. Por que se diz que o verdadeiro usineiro é diabético?

48. Quando o viajante se vê em maus lençóis?

49. Por que a célula foi se consultar com um psiquiatra?

50. Por que o petróleo foi ao psicólogo?

51. Qual é o livro preferido dos padeiros?

RESPOSTAS: 45. É um "físico-turista" (= fisiculturista). 46. Quando dança conforme a música. 47. Porque tem açúcar no sangue. 48. Quando se hospeda em uma hotel ruim. 49. Porque tinha complexo de Golgi. 50. Porque ele estava no fundo do poço. 51. O livro dos sonhos.

PROFISSÕES

52. Qual o sujeito que não resolve nada, mas vive tomando medidas?

53. O que é um pontinho preto trabalhando em um avião?

54. Qual a pessoa adequada para cuidar de um playground?

55. Por que o professor entra na sala de aula usando óculos escuros?

56. Quando é que um repórter fica bem de vida?

RESPOSTAS: 52. O alfaiate. 53. Uma aeromosca. 54. O contador, por viver sempre lidando com balanço. 55. Porque seus alunos são brilhantes. 56. Quando está na cobertura.

PROFISSÕES

57. Quem vive cavando a própria sorte?

58. O que faz o fofoqueiro quando não está trabalhando?

59. O que nenhum policial consegue prender por muito tempo?

60. Quando um lutador pode estragar sua carreira?

61. Por que o inventor do *glitter* ficou tão satisfeito?

62. Qual profissional é especializado em localizar dor nos dentes?

RESPOSTAS: 57. O garimpeiro. 58. Tece comentários. 59. A respiração. 60. Quando não quer briga. 61. Porque teve uma ideia brilhante. 62. O caça-dor.

PROFISSÕES

63. Quem faz a barba todos os dias e continua barbeado?

64. Como é a vida de dois floristas quando se casam?

65. Por que é difícil conseguir um bom advogado?

66. Quem é que muda a cabeça das mulheres?

67. Como oftalmologista sabe que cenoura faz bem para a vista?

68. O que o youtuber foi fazer no dentista?

RESPOSTAS: 63. O barbeiro. 64. Um mar de rosas. 65. Porque mais difícil ainda é conseguir uma boa causa. 66. O cabeleireiro. 67. Ele nunca viu um coelho usando óculos. 68. Abrir um canal.

PROFISSÕES

69. O que faz o poeta quando chega?

70. Qual construção é mais difícil de ser projetada por um engenheiro?

71. Por que os delegados não seriam bons jogadores de futebol?

72. Por que um esqueleto procurou um barbeiro?

73. O que o químico disse ao encontrar dois átomos de hélio?

74. O que torna o médico impaciente?

RESPOSTAS: 69. Ver se fica (= versifica, faz versos). 70. Um "é-difícil" (= edifício). 71. Porque prendem a bola. 72. Para fazer as costeletas. 73. He He! ("He" é o símbolo do elemento químico Hélio). 74. A falta de paciência.

PROFISSÕES

75. Por que o agricultor passou o rolo compressor pela sua plantação de batatas?

76. Qual profissional sempre precisa de uma mãozinha para trabalhar?

77. Quem acha que duas cabeças valem mais do que uma?

78. Quem é o profissional que, quanto mais riem dele, mais ele melhora de vida?

79. Se o Thor fosse contratado para trabalhar na redação de um jornal, qual seria o cargo dele?

80. Quem é o melhor amigo da doença?

RESPOSTAS: 75. Para fazer purê. 76. A manicure. 77. O cabeleireiro. 78. O palhaço. 79. EdiThor (= editor). 80. O médico.

PROFISSÕES

81. O que o coveiro faz quando joga futebol?

82. Qual é a única pessoa a quem se tem coragem de dizer tudo o que se sente?

83. Por que o palhaço do circo usa suspensório vermelho?

84. Em que situação fica um crítico literário que perdeu o emprego?

85. Quando um carteiro se frustra no amor?

86. Para onde o padeiro viajou nas férias?

87. Por que o filho do joalheiro estuda tanto?

RESPOSTAS: 81. Vive cavando faltas. 82. O médico. 83. Para que a calça dele não caia. 84. Numa situação crítica. 85. Quando não encontra correspondência. 86. Para o "Ja-pão". 87. Porque ele quer ser um adulto joia.

PROFISSÕES

88. O que uma música romântica faz que um cardiologista também faz?

89. Qual homem tem de fazer barba várias vezes ao dia?

90. Quantos psicólogos são necessários para trocar uma lâmpada?

91. Quem só começa a trabalhar quando é posto na rua?

92. Quem julga os outros, e sempre com provas?

93. Quem só enfrenta o público de costas?

94. Qual cantor canta para os avós?

RESPOSTAS: 88. Toca os corações. 89. O barbeiro. 90. Dois. Um para segurar a lâmpada e o outro para curar o trauma da lâmpada que não queria ser trocada. 91. O guarda municipal. 92. O professor. 93. O regente da orquestra. 94. Netinho.

PROFISSÕES

95. Quando o pintor reconhece que o filho é dele?

96. Quando um motorista faz uma declaração de amor a uma parte do carro?

97. O que houve quando o engenheiro olhou para o espelho?

98. O que aconteceu quando a manicure e o dentista brigaram?

99. Você sabe o que o advogado do frango foi fazer na delegacia?

100. Que dentista tem melhor imagem na TV?

RESPOSTAS: 95. Quando a criança tem os traços dele. 96. Quando canta os pneus. 97. O engenheiro civil (= se viu). 98. Lutaram com unhas e dentes. 99. Foi soltar a frango. 100. O que cuida de canal.